ÉNERGIE 1 2 3 4

méthode de français

grammaire

Inmaculada Saracíbar Zaldívar

Dolorès-Danièle Pastor

Carmen Martín Nolla

Michèle Butzbach

Régine Fache

Reyes Núñez Castaín

Coordination éditoriale : Elena Moreno

Direction éditoriale : Sylvie Courtier

Conception graphique et couverture : Zoográfico

Dessins : Jaume Bosch, Zoográfico

Correction : Agnès Jouanjus

Coordination artistique : Carlos Aguilera

Coordination technique : Jesús Á. Muela

2006, Santillana Educación, S. L.
Torrelaguna, 60. 28043 Madrid
Impreso en China

CP: 834584

SOMMAIRE

GRAMMAIRE

GRAMMAIRE

Les nombres

Cardinaux						Ordinaux	
0	zéro	11	onze	40	quarante	1er	premier
1	un	12	douze	50	cinquante	2e	deuxième
2	deux	13	treize	60	soixante	3e	troisième
3	trois	14	quatorze	70	soixante-dix	4e	quatrième
4	quatre	15	quinze	80	quatre-vingts	5e	cinquième
5	cinq	16	seize	90	quatre-vingt-dix	6e	sixième
6	six	17	dix-sept…	100	cent	7e	septième
7	sept	20	vingt	200	deux cents	8e	huitième
8	huit	21	vingt et un	1000	mille	9e	neuvième
9	neuf	22	vingt-deux…	1 000 000	un million	10e	dixième
10	dix	30	trente	1 000 000 000	un milliard	11e	onzième…

Les fractions : 1/2 : un demi - 1/3 : un tiers - 1/4 : un quart - 1/5 : un cinquième…
Les pourcentages : 89 % : quatre-vingt-neuf pour cent - *Exemple : Ici, le taux d'absentéisme est de 10 %.*

Les articles

Définis	Indéfinis		Partitifs		Contractés
le nuage	un billet	pas de billets	du verglas	pas de verglas	à + le → au Mexique
l'environnement	une pièce	pas de pièces	de la neige	pas de neige	à + les → aux Seychelles
la planète			de l'air	pas d'air	de + le → du Périgord
les animaux	des moyens	pas de moyens			de + les → des Antilles
les plantes	des idées	pas d'idées			

Les démonstratifs

Adjectifs

Ce message vient d'arriver.
Cet appel est très sympa.
Cette lettre est urgente.
Ces filles sont très à la mode.
Ces garçons sont mignons.

Pronoms

Celui-ci ou celui-là ? Celui qui est sur l'écran.
Celui de Patricia ? Oui, c'est ça.
Celle-ci ou celle-là ? Celle qui est pour Annie.
Celles-ci ou celles-là ? Celles qui sont sur scène.
Ceux-ci ou ceux-là ? Ceux du fond.

Les possessifs

Adjectifs

Un possesseur	*Plusieurs possesseurs*
mon papa, ma maman	notre lycée, nos profs
ton oncle, ta tante	votre ville, vos plantes
son fils, sa fille	leur projet, leurs idées

Attention ! Mon idée.

Pronoms

Un possesseur	*Plusieurs possesseurs*
le mien, la mienne	le / la nôtre, les nôtres
le tien, la tienne	le / la vôtre, les vôtres
le sien, la sienne	le / la leur, les leurs

Les indéfinis

Adjectifs

Chaque élève prend un cahier.
Quelques professeurs sont très exigeants.
Certains étudiants iront là-bas.
Plusieurs classes feront le voyage.
D'autres élèves travailleront à la maison.
Je n'ai aucune envie de passer l'examen !
On a un autre examen de maths.

Pronoms

Chacun prend sa place.
Quelques-uns sont trop sévères.
Certains resteront ici.
Plusieurs ne le feront pas.
D'autres ne travailleront pas du tout.
Tu as une idée ? Moi, aucune !
Ah bon ? Vous en avez un autre ?

Masculin et féminin des noms et des adjectifs

♀ = ♂ + e	♀ = ♂	♀ = ♂ + 2 consonnes + e	♀ ± ♂
Un avocat français → Une avocate française Oral Au masculin, la consonne finale est muette : [avɔka] Au féminin, la consonne finale est sonore : [avɔkat]	Un journaliste suisse → Une journaliste suisse Oral Pas de différence entre le masculin et le féminin, excepté l'article. 	Un musicien gentil → Une musicienne gentille Un gros lion → Une grosse lionne Un chat coquet → Une chatte coquette Oral Au masculin et au féminin, la syllabe finale est différente : [myzisjɛ̃] → [myzisjɛn] [ʒɑ̃ti] → [ʒɑ̃tij] [gʀo] → [gʀos] [ʃa] → [ʃat] [kɔkɛ] → [kɔkɛt]	Un coiffeur veuf → Une coiffeuse veuve Un acteur sérieux → Une actrice sérieuse Un infirmier doux → Une infirmière douce Oral Au masculin et au féminin, la syllabe finale est différente : [kwafœʀ] → [kwaføz] [vœf] → [vœv] [aktœʀ] → [aktʀis]
♀ ≠ ♂ père / mère - homme / femme - monsieur / madame - oncle / tante - frère / sœur			

Singulier et pluriel des noms et des adjectifs

Singulier → + s	-s, -x, -z → -s, -x, -z	-eu, -eau, -au → + x	-al, -ail → -aux
un disque formidable → des disques formidables une dent cariée → des dents cariées Oral On ne prononce pas le « s » final : [de disk fɔʀmidabl] *Attention aux cas particuliers !* un œil → des yeux un père et une mère → des parents	un Français heureux → des Français heureux un faux roux → des faux roux un gaz pernicieux → des gaz pernicieux Oral Seuls les déterminants permettent de distinguer le singulier du pluriel : [œ̃ fo ʀu] → [de fo ʀu]	un cheveu → des cheveux un beau bureau → des beaux bureaux un nouveau tuyau → des nouveaux tuyaux Oral Seuls les déterminants permettent de distinguer le singulier du pluriel : [œ̃ ʃəvø] → [de ʃəvø] Écrit *Attention aux mots en **-ou** !* La plupart ont un pluriel en -s : un trou → des trous mou → mous mais certains noms prennent -x : un chou → des choux	un cheval génial → des chevaux géniaux le travail final → les travaux finaux Oral Pluriel en [o] : [le tʀavo fino] *Attention aux exceptions !* un carnaval → des carnavals

Le comparatif et le superlatif

À partir d'un verbe	À partir d'un nom	À partir d'un adjectif ou d'un adverbe
plus On **lit** moins que toi. autant C'est toi qui **lis** le plus / le moins.	plus de Elles ont moins de **temps** que moi. autant de Elles consacrent le plus / le moins de **temps** possible à la lecture.	plus / plus On est moins **cultivés** que toi. On lit moins **vite**. aussi / aussi Nous sommes les plus / moins **cultivés** de la classe. *Attention !* **bon(ne)** → meilleur(e) **mauvais(e)** → plus mauvais(e) / pire **bien** → mieux **mal** → plus mal / pire

GRAMMAIRE

Les pronoms personnels

Toniques	Sujets	C. O. Directs	C. O. Indirects	Réfléchis
Avec le pronom sujet, isolés, après une préposition ou après « c'est ».	Obligatoires devant le verbe (sauf à l'impératif).	Remplacent un complément d'objet direct.	Remplacent un complément d'objet indirect.	Avec les verbes pronominaux.
moi toi lui, elle nous vous eux, elles	je, j' tu il, elle, on nous vous ils, elles	me te, t' le, la, l' nous vous les	me te, t' lui nous vous leur	me, m' te, t' se, s' nous vous se, s'
C'est moi qui prend le scooter. Toi, tu l'as pris hier.	On va au ciné. Tu viens ?	Il l'attend. Il l'aime.	Il lui écrit. Elle lui parle.	Elle se lève, elle s'habille. *Attention !* À l'impératif affirmatif : Lève-toi ! Donne-moi ça !

Il / Elle est - C'est

Pour identifier

C'est <u>un</u> petit garçon.
C'est <u>mon</u> ami.
Ce n'est pas <u>un</u> héros classique.
C'est <u>le</u> meilleur.
C'est <u>lui</u> qui a rendu l'eau au village.
C'est <u>Kirikou</u>.

Pour qualifier

Il est petit… il n'est pas méchant.
Il est courageux, il est vaillant.

Il est africain.

Il est explorateur.

Les pronoms relatifs

Qui (sujet)	Que (C.O.D.)	Où (lieu, temps)	Dont (*de* + complément)
C'est la profession qui me passionne. C'est la personne qui convient.	C'est le métier que j'aime. C'est la fille que j'aime.	C'est la ville où je travaillerai. Le jour où je terminerai mes études, je serai fier.	C'est la façon de vivre dont j'ai rêvé. C'est le film dont tout le monde parle.

Les pronoms *en* et *y*

EN remplace :

- **article partitif + nom :** Du café, je n'en bois jamais.
- **article indéfini + nom :** Des BD, j'en lis tout le temps.
- **quantité + nom :** Tu as beaucoup de devoirs ? Oui, j'en ai beaucoup.
- ***de* + lieu :** Tu viens de Londres ? Oui, j'en viens.
- ***de* + nom :** Tu rêves de vacances ? Eh oui, j'en rêve !

Y remplace :

- ***à* + lieu :** Tu seras à la maison ? Oui, j'y serai.
- ***à* + nom :** Elle pense à ce voyage ? Oui, elle y pense.

Situer dans le temps

L'heure et les moments de la journée	Les jours de la semaine	Les mois et les saisons	Les dates
Il est… On se lève à… 8 h du matin. 7 h du soir. 3 h de l'après-midi. midi. minuit. Elle est… à l'heure. en avance. en retard. À quelle heure sort-il ? À trois heures. et demie. et quart. moins cinq. moins le quart.	Nous sommes… C'est… lundi. mardi. mercredi. jeudi. vendredi. samedi. dimanche. le week-end les jours de la semaine les jours fériés Fermé le lundi. Je ne travaille pas le mercredi après-midi.	**en hiver** janvier février mars **au printemps** avril mai juin **en été** juillet août septembre **en automne** octobre novembre décembre	Nous sommes… le 1er mai 2010. en 1743. au XVIIIe siècle. Je suis né(e)… au mois de juin, le 24, le jour de la Saint-Jean. Rendez-vous… le mardi 15 mars. 

Passé	Présent	Futur	Fréquence
avant hier avant-hier la semaine dernière au XIXe siècle il y a une semaine il y a longtemps ça fait longtemps depuis trois jours tout à l'heure autrefois… Autrefois, on se déplaçait à pied ou à cheval.	maintenant aujourd'hui cette année / semaine en ce moment à présent actuellement… Actuellement, on se déplace en voiture.	après demain après-demain lundi prochain la semaine prochaine dans une minute tout à l'heure dans l'avenir à partir de… dans quelques années… plus tard… Dans quelques années, on reviendra peut-être au vélo.	jamais de temps en temps quelquefois souvent très souvent d'habitude toujours tout le temps… Quelquefois, je me demande si le monde n'est pas devenu fou.

La chronologie des événements

d'abord… ensuite… après… finalement…

D'abord, j'ai sonné à la porte, ensuite j'ai attendu, puis j'ai sonné de nouveau… rien, personne. Finalement, je suis reparti, tout triste.

La durée

Avec point de départ		Avec point d'arrivée
Il est parti il y a trois heures. Depuis qu'il est parti, il pleut. Il roule depuis trois heures. / Il y a trois heures qu'il roule. / Ça fait trois heures qu'il roule.	Pendant qu'il roule, les voyageurs dorment.	Il arrivera dans une heure à Genève. Il va rouler à grande vitesse jusqu'à Genève / jusqu'à minuit.

Se situer dans l'espace

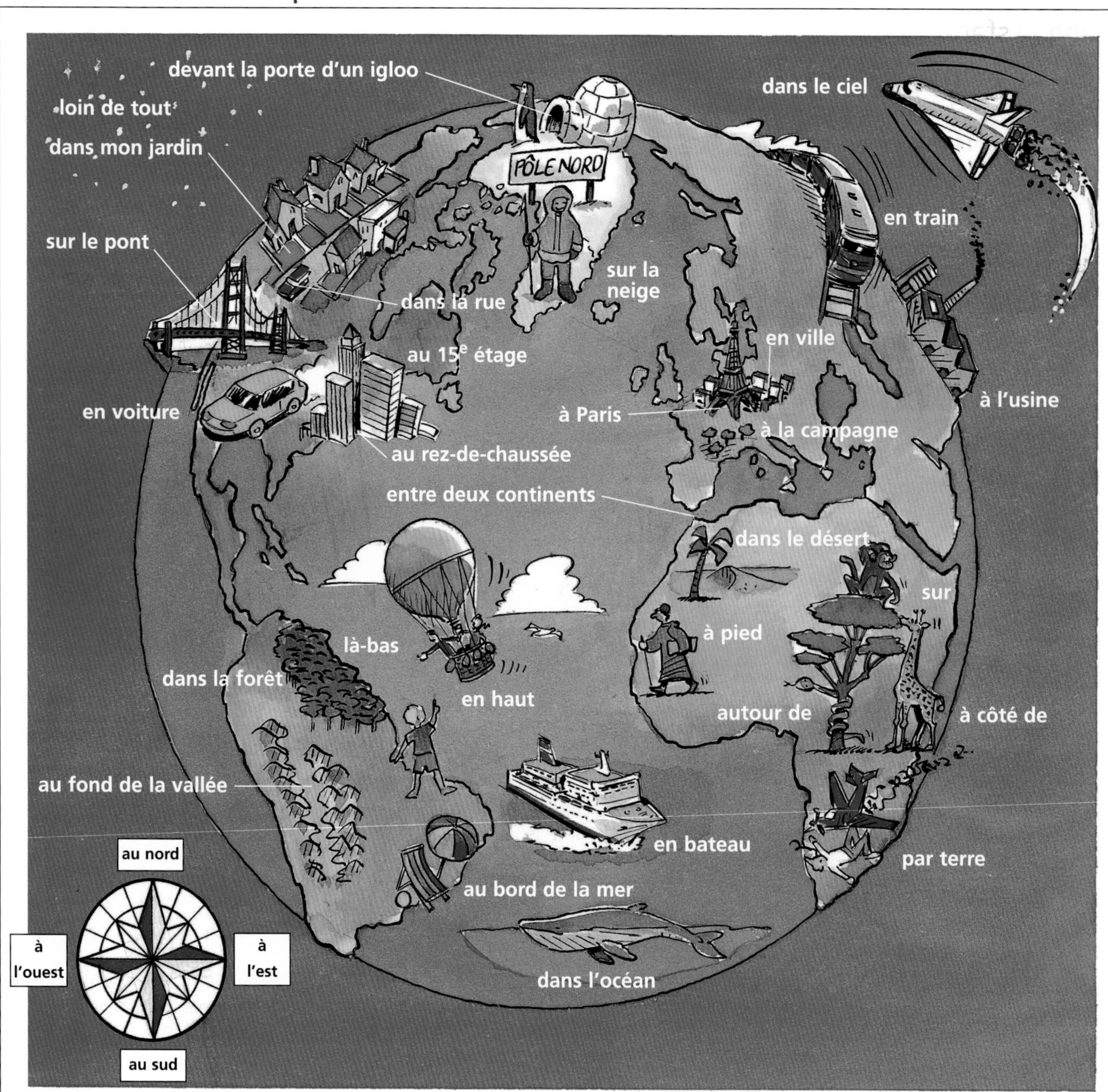

Expressions de lieu

pays / régions

en France
en Andalousie
au Canada
au Pays basque
aux États-Unis
aux Îles Canaries

dans la nature

dans la rivière
dans le bois
sur la plage
au bord du lac
en haut de la montagne
en bas
au soleil
à l'ombre

en ville

à la gare
à l'aéroport
au cinéma
sur la place
dans la rue
chez le coiffeur
près du métro
loin du centre

à la maison

dans la chambre
dehors / dedans
dans le jardin
sur la terrasse
au premier étage
devant la fenêtre
chez mamie
en face de la télé
à côté du canapé

dans une pièce

dans le fauteuil
derrière les rideaux
au-dessus de l'étagère
sur le mur
sous le lit
à droite de la table
à gauche du canapé
au milieu de la pièce
parmi les livres
entre les deux fenêtres

L'interrogation

Langue standard	Langue familière	Langue plus formelle
Est-ce que vous travaillez ?	Vous travaillez ?	Travaillez-vous ?
Qu'est-ce que vous voulez ?	Vous voulez **quoi** ?	**Que** voulez-vous ?
Qui est-ce que vous cherchez ?	Vous cherchez **qui** ?	**Qui** cherchez-vous ?
Quand est-ce que vous viendrez ?	Vous viendrez **quand** ?	**Quand** viendrez-vous ?
Pourquoi est-ce que vous venez ?	**Pourquoi** vous venez ?	**Pourquoi** venez-vous ?
Combien est-ce que vous pesez ?	Vous pesez **combien** ?	**Combien** pesez-vous ?
Comment est-ce que vous faites ?	**Comment** vous faites ?	**Comment** faites-vous ?
Où est-ce que vous êtes allé hier ?	**Où** vous êtes allé hier ?	**Où** êtes-vous allé hier ?
Quel bus est-ce que vous avez pris ?	**Quel** bus vous avez pris ?	**Quel** bus avez-vous pris ?

Attention à l'inversion du sujet !
Travaille-t-elle ? - Travaille-t-il ? - A-t-elle fini ? - Ira-t-on tout de suite ? - Va-t-elle téléphoner ?

L'interrogation indirecte

Interroger sur l'identité ou la qualité

Adjectifs

Quel pantalon tu vas mettre ? 

Quelle robe est-ce que tu choisis ? 

Quels t-shirts achetez-vous ? 

Quelles chaussettes te plaisent le plus ? 

Pronoms

Lequel je vais mettre ? L'orange. 

Laquelle je choisis ? La plus longue.

Lesquels j'achète ? Les moins chers. 

Lesquelles me plaisent le plus ?
Celles à rayures. 

Interroger sur les mesures, les poids, les prix…

Quelle distance il y a… ? 14 km (kilomètres) 1 400 m (mètres) **Combien il / elle mesure ?** 12 cm (centimètres) 120 mm (millimètres) de haut de large de long 1,65 = 1 mètre 65	**Combien il / elle pèse ?** 1 kg (kilo, kilogramme) 250 g (grammes) **Combien vous en voulez ?** 3 l (litres) 1 demi-litre 2 litres et demi	**Qu'est-ce que vous voulez ?** une bouteille d'huile un brick de lait un verre d'eau une cuillerée à café de sucre un paquet de farine une boîte de thon une douzaine d'œufs une dizaine de pommes	**Combien ça fait ?** **Combien ça coûte ?** 2 € (deux euros) 0,50 € (cinquante centimes) 13 € 10 (treize euros dix)

GRAMMAIRE

La négation

ne … pas … non plus	Elle n'a pas de problèmes. Moi non plus, je ne suis pas d'accord.
ne … pas encore ne … plus ne … jamais	Il n'est pas encore arrivé. Tu as changé, tu n'es plus le même. Je ne suis jamais à l'heure.
ne … rien - rien … ne ne … personne - personne … ne	Je ne regrette rien. Quand tu es là, rien ne m'inquiète. Je ne connais personne ici. Personne n'a appelé.
ne … que	Attends ! Je n'ai que deux mains !
ni … ni …	Elle ne veut ni de toi ni de moi.

Attention ! À l'oral et en langue familière, on supprime très souvent « ne ».

• T'es pas gentil ! ▪ C'est pas vrai !

La réponse à une question négative

• Tu ne viens pas ? ▪ Mais si !
• Nous sommes en retard, n'est-ce pas ?
▪ Si, on est très en retard.

Temps et modes

L'INDICATIF

Le présent

Il sert à évoquer :
- **une action qui se déroule au moment où l'on parle :**
• Tu viens au ciné ? ▪ Impossible, je révise.
- **l'habitude :** Le dimanche matin, je me lève tard.
- **le présent historique :** En 1789, c'est la Révolution.
- **l'hypothèse :** S'il pleut, on est sauvés !
- **le futur :** Jeudi prochain, je pars au Portugal.

Le futur simple

Il sert à annoncer des projets, à parler de l'avenir :
- présenter un **événement prévu :** La saison sera chaude.
- faire des **promesses :** Je te promets que je serai à l'heure.

Il s'utilise **après *quand* :** Quand je terminerai cela, je ferai autre chose.
Il sert aussi à donner un **ordre :** Tu trieras tes déchets.

Le passé composé

Il sert à :
- **raconter des actions au passé :** On a ri et on a dansé.
- **évoquer des événements ponctuels :** Ils se sont rencontrés il y a trois ans.

L'imparfait

Il sert à évoquer des souvenirs, à parler du passé :
- **évoquer des habitudes passées :** Elle était passionnée. Les voyages l'intéressaient beaucoup.
- **faire des descriptions et préciser les circonstances** d'une action ou d'un événement passés : Il faisait beau quand elle est arrivée.

Les différents MOMENTS DE L'ACTION

Certaines constructions avec l'infinitif ont une valeur temporelle et / ou indiquent l'aspect de l'action :
- **passé récent :** Tu viens de manger et tu as faim ?
- **futur proche :** On va déjeuner tout de suite. À table ! (Très souvent utilisé à la place du futur simple.)
- **futur immédiat :** On est sur le point de manger.
- **présent continu :** Je suis en train de préparer le repas. (Mais on emploie habituellement le présent.)

L'IMPÉRATIF

Il sert à inciter à l'action (ou le contraire, à la forme négative) :
- **donner des ordres :** Regardez-moi, enfin !
- **interdire :** Ne me regardez pas comme ça !
- **donner des conseils :** Abonnez-vous à cette revue.

Il sert aussi à :
- **exprimer un souhait :** Passez de bonnes vacances.
- **faire une prière :** Sois gentil, écris-moi, s'il te plaît.

LE CONDITIONNEL

Il énonce des faits irréels ou imaginaires :
- **des faits réalisables dans le futur :** S'il fait beau, on pourrait aller à la campagne ce week-end.
- **des faits hypothétiques et difficilement réalisables :** Si tu voulais, tu pourrais faire ce travail.

Il sert aussi à exprimer :
- **un souhait :** Il voudrait quitter son pays.
- **une suggestion :** Vous devriez y aller tous ensemble.
- **un conseil :** Tu devrais être plus compréhensif.
- **une demande polie :** Pourrais-tu me dire l'heure, S.T.P. ?

Il sert aussi à évoquer le **futur dans le passé :** Il a dit qu'il arriverait en retard.

LE SUBJONCTIF

Le présent

Il sert à évoquer une action qui n'a pas encore eu lieu ou une attitude subjective. Il sert à exprimer :
- **une obligation :** Il faut que tu changes d'attitude.
- **une nécessité :** Il faut qu'on achète des oranges, on en a besoin pour la salade de fruits.
- **un conseil :** Il vaut mieux que tu partes de bonne heure.
- **un souhait :** Je voudrais que tu sois là.
- **un ordre :** Je veux que tu prennes une douche tous les jours.
- **une interdiction :** Je ne veux pas qu'elle vienne avec nous. Il ne faut pas qu'elle sache que nous partons.
- **une opinion :** Je ne crois pas qu'il soit mieux ici que là-bas.

Les relations dans la phrase

le but	Je travaille pour payer mes études. Il rationne l'arrosage du jardin pour que l'eau ne manque pas.
la cause	Il ne l'a pas entendu car il est un peu sourd. C'est à cause de la pluie que je me suis enrhumé. Je suis contente parce que je vois que ton travail avance bien. Comme il était tard, nous n'y sommes pas allés. Puisque tu m'aimes, prouve-le-moi !
la conséquence	Tu es en vacances, alors tu peux venir ! Je pense donc je suis.
la coordination	Les Français et les Espagnols sont maintenant bons voisins. Après l'opération, elle n'a pu ni boire ni manger pendant trois jours.
l'opposition	J'adore les glaces à la vanille mais je préfère celles au chocolat. Elle est intelligente. Par contre, elle n'est pas vive. Il n'est pas sportif. Cependant, il s'intéresse aux compétitions. Elle ne refuse pas de le voir. Au contraire, elle l'a invité chez elle.
l'ajout d'arguments	Tu arrives en retard et, en plus, tu n'apportes pas le pain. Elle veut le quitter. D'ailleurs, elle va le lui dire ce soir.
la concession	Il ne dépense rien. Pourtant, il a de l'argent. Malgré son handicap, il a fait une brillante carrière. Même si tu penses avoir raison, tu devrais lui demander pardon. Bien que la vie soit chère, son salaire lui permet de vivre confortablement. Elle a du mal à suivre : il ne faut pas oublier qu'elle est la plus jeune de la classe.
la condition et l'hypothèse	Si j'accepte ce travail, tout ira mieux. Si j'acceptais ce travail, tout irait mieux.
le souhait	Il devrait y avoir plus d'autobus aux heures de pointe. Il faudrait que vous fassiez le ménage dans le salon. J'aimerais / Je voudrais qu'il y ait plus de justice sur terre.
la nécessité	On a besoin de toi. On manque d'argent. Il faut aller voir les banques. Il manque des épices dans ce plat. Il n'y a pas assez de sel. Les promesses ne suffisent pas. Il faut des actes.
les associations et ressemblances	Tous les deux, ensemble, nous y arriverons. L'une et l'autre sont capables de gagner la médaille d'or. Ils ont les mêmes habitudes. Tu peux venir en juillet ou en août, pour moi c'est pareil.
la subjectivité	On dirait que tu n'es pas bien. Tu as l'air triste. Ça ne va pas ? Cela fait penser à une statue de Rodin. Elle y a probablement / sans doute / sûrement pensé, comme nous. Peut-être que nous pourrons l'atteindre, ce but. Il est possible qu'il arrive en retard.

CONJUGAISONS

	INFINITIF	PRÉSENT	IMPÉRATIF	FUTUR	IMPARFAIT	PASSÉ COMPOSÉ	PLUS-QUE-PARFAIT	CONDITIONNEL	SUBJONCTIF PRÉSENT
AUXILIAIRES	**avoir**	j'ai tu as il / elle / on a nous av**ons** vous av**ez** ils / elles ont	aie ayons ayez	j'au**rai** tu au**ras** il / elle / on au**ra** nous au**rons** vous au**rez** ils / elles au**ront**	j'av**ais** tu av**ais** il / elle / on av**ait** nous av**ions** vous av**iez** ils / elles av**aient**	j'ai eu tu as eu il / elle / on a eu nous avons eu vous avez eu ils / elles ont eu	j'avais eu tu avais eu il / elle / on avait eu nous avions eu vous aviez eu ils / elles avaient eu	j'au**rais** tu au**rais** il / elle / on au**rait** nous au**rions** vous au**riez** ils / elles au**raient**	(que) j'aie (que) tu aies (qu') il / elle / on ait (que) nous ayons (que) vous ayez (qu') ils / elles aient
	être	je suis tu es il / elle / on est nous sommes vous êtes ils / elles sont	sois soyons soyez	je se**rai** tu se**ras** il / elle / on se**ra** nous se**rons** vous se**rez** ils / elles se**ront**	j'ét**ais** tu ét**ais** il / elle / on ét**ait** nous ét**ions** vous ét**iez** ils / elles ét**aient**	j'ai été tu as été il / elle / on a été nous avons été vous avez été ils / elles ont été	j'avais été tu avais été il / elle / on avait été nous avions été vous aviez été ils / elles avaient été	je se**rais** tu se**rais** il / elle / on se**rait** nous se**rions** vous se**riez** ils / elles se**raient**	(que) je sois (que) tu sois (qu') il / elle / on soit (que) nous soyons (que) vous soyez (qu') ils / elles soient
VERBES EN -ER	**aimer** + aider, danser, écouter, parler, regarder…	j'aim**e** tu aim**es** il / elle / on aim**e** nous aim**ons** vous aim**ez** ils / elles aim**ent**	aim**e** aim**ons** aim**ez**	j'aim**erai** tu aim**eras** il / elle / on aim**era** nous aim**erons** vous aim**erez** ils / elles aim**eront**	j'aim**ais** tu aim**ais** il / elle / on aim**ait** nous aim**ions** vous aim**iez** ils / elles aim**aient**	j'ai aim**é** tu as aim**é** il / elle / on a aim**é** nous avons aim**é** vous avez aim**é** ils / elles ont aim**é**	j'avais aim**é** tu avais aim**é** il / elle / on avait aim**é** nous avions aim**é** vous aviez aim**é** ils / elles avaient aim**é**	j'aim**erais** tu aim**erais** il / elle / on aim**erait** nous aim**erions** vous aim**eriez** ils / elles aim**eraient**	(que) j'aim**e** (que) tu aim**es** (qu') il / elle / on aim**e** (que) nous aim**ions** (que) vous aim**iez** (qu') ils / elles aim**ent**
	acheter **geler →** il gè**le**	j'achèt**e** tu achèt**es** il / elle / on achèt**e** nous achet**ons** vous achet**ez** ils / elles achèt**ent**	achèt**e** achet**ons** achet**ez**	j'achèt**erai** tu achèt**eras** il / elle / on achèt**era** nous achèt**erons** vous achèt**erez** ils / elles achèt**eront**	j'achet**ais** tu achet**ais** il / elle / on achet**ait** nous achet**ions** vous achet**iez** ils / elles achet**aient**	j'ai achet**é** tu as achet**é** il / elle / on a achet**é** nous avons achet**é** vous avez achet**é** ils / elles ont achet**é**	j'avais achet**é** tu avais achet**é** il / elle / on avait achet**é** nous avions achet**é** vous aviez achet**é** ils / elles avaient achet**é**	j'achèt**erais** tu achèt**erais** il / elle / on achèt**erait** nous achèt**erions** vous achèt**eriez** ils / elles achèt**eraient**	(que) j'achèt**e** (que) tu achèt**es** (qu') il / elle / on achèt**e** (que) nous achet**ions** (que) vous achet**iez** (qu') ils / elles achèt**ent**
	appeler + épeler… **jeter →** il jett**e**	j'appell**e** tu appell**es** il / elle / on appell**e** nous appel**ons** vous appel**ez** ils / elles appell**ent**	appell**e** appel**ons** appel**ez**	j'appell**erai** tu appell**eras** il / elle / on appell**era** nous appell**erons** vous appell**erez** ils / elles appell**eront**	j'appel**ais** tu appel**ais** il / elle / on appel**ait** nous appel**ions** vous appel**iez** ils / elles appel**aient**	j'ai appel**é** tu as appel**é** il / elle / on a appel**é** nous avons appel**é** vous avez appel**é** ils / elles ont appel**é**	j'avais appel**é** tu avais appel**é** il / elle / on avait appel**é** nous avions appel**é** vous aviez appel**é** ils / elles avaient appel**é**	j'appell**erais** tu appell**erais** il / elle / on appell**erait** nous appell**erions** vous appell**eriez** ils / elles appell**eraient**	(que) j'appell**e** (que) tu appell**es** (qu') il / elle / on appell**e** (que) nous appel**ions** (que) vous appel**iez** (qu') ils / elles appell**ent**
	manger + corriger, changer… **menacer →** nous menaç**ons**	je mang**e** tu mang**es** il / elle / on mang**e** nous mange**ons** vous mang**ez** ils / elles mang**ent**	mang**e** mange**ons** mang**ez**	je mang**erai** tu mang**eras** il / elle / on mang**era** nous mang**erons** vous mang**erez** ils / elles mang**eront**	je mange**ais** tu mange**ais** il / elle / on mange**ait** nous mang**ions** vous mang**iez** ils / elles mange**aient**	j'ai mang**é** tu as mang**é** il / elle / on a mang**é** nous avons mang**é** vous avez mang**é** ils / elles ont mang**é**	j'avais mang**é** tu avais mang**é** il / elle / on avait mang**é** nous avions mang**é** vous aviez mang**é** ils / elles avaient mang**é**	je mang**erais** tu mang**erais** il / elle / on mang**erait** nous mang**erions** vous mang**eriez** ils / elles mang**eraient**	(que) je mang**e** (que) tu mang**es** (qu') il / elle / on mang**e** (que) nous mang**ions** (que) vous mang**iez** (qu') ils / elles mang**ent**

	INFINITIF	PRÉSENT	IMPÉRATIF	FUTUR	IMPARFAIT	PASSÉ COMPOSÉ	PLUS-QUE-PARFAIT	CONDITIONNEL	SUBJONCTIF PRÉSENT
VERBES EN -ER	**payer** + balayer, essayer… + s'ennuyer + envoyer	je pai**e** tu pai**es** il / elle / on pai**e** nous pay**ons** vous pay**ez** ils / elles pai**ent**	pai**e** pay**ons** pay**ez**	je pai**erai** tu pai**eras** il / elle / on pai**era** nous pai**erons** vous pai**erez** ils / elles pai**eront**	je pay**ais** tu pay**ais** il / elle / on pay**ait** nous pay**ions** vous pay**iez** ils / elles pay**aient**	j'ai pay**é** tu as pay**é** il / elle / on a pay**é** nous avons pay**é** vous avez pay**é** ils / elles ont pay**é**	j'avais pay**é** tu avais pay**é** il / elle / on avait pay**é** nous avions pay**é** vous aviez pay**é** ils / elles avaient pay**é**	je pai**erais** tu pai**erais** il / elle / on pai**erait** nous pai**erions** vous pai**eriez** ils / elles pai**eraient**	(que) je pai**e** (que) tu pai**es** (qu') il / elle / on pai**e** (que) nous pay**ions** (que) vous pay**iez** (qu') ils / elles pai**ent**
	se lever	je me lèv**e** tu te lèv**es** il / elle / on se lèv**e** nous nous lev**ons** vous vous lev**ez** ils / elles se lèv**ent**	lèv**e**-toi lev**ons**-nous lev**ez**-vous	je me lèv**erai** tu te lèv**eras** il / elle / on se lèv**era** nous nous lèv**erons** vous vous lèv**erez** ils / elles se lèv**eront**	je me lev**ais** tu te lev**ais** il / elle / on se lev**ait** nous nous lev**ions** vous vous lev**iez** ils / elles se lev**aient**	je me suis lev**é(e)** tu t'es lev**é(e)** il / elle / on s'est lev**é(e)(s)** nous nous sommes lev**é(e)s** vous vous êtes lev**é(e)(s)** ils / elles se sont lev**é(e)s**	je m'étais lev**é(e)** tu t'étais lev**é(e)** il / elle / on s'était lev**é(e)(s)** nous nous étions lev**é(e)s** vous vous étiez lev**é(e)(s)** ils / elles s'étaient lev**é(e)s**	je me lèv**erais** tu te lèv**erais** il / elle / on se lèv**erait** nous nous lèv**erions** vous vous lèv**eriez** ils / elles se lèv**eraient**	(que) je me lèv**e** (que) tu te lèv**es** (qu') il / elle / on se lèv**e** (que) nous nous lev**ions** (que) vous vous lev**iez** (qu') ils / elles se lev**ent**
	aller	je vais tu vas il / elle / on va nous all**ons** vous all**ez** ils / elles vont	va all**ons** all**ez**	j'**irai** tu **iras** il / elle / on **ira** nous **irons** vous **irez** ils / elles **iront**	j'all**ais** tu all**ais** il / elle / on all**ait** nous all**ions** vous all**iez** ils / elles all**aient**	je suis all**é(e)** tu es all**é(e)** il / elle / on est all**é(e)(s)** nous sommes all**é(e)s** vous êtes all**é(e)(s)** ils / elles sont all**é(e)s**	j'étais all**é(e)** tu étais all**é(e)** il / elle / on était all**é(e)(s)** nous étions all**é(e)s** vous étiez all**é(e)(s)** ils / elles étaient all**é(e)s**	j'**irais** tu **irais** il / elle / on **irait** nous **irions** vous **iriez** ils / elles **iraient**	(que) j'aill**e** (que) tu aill**es** (qu') il / elle / on aill**e** (que) nous all**ions** (que) vous all**iez** (qu') ils / elles aill**ent**
VERBES EN -IR	**finir** + choisir, grandir, obéir, réfléchir, réussir…	je fin**is** tu fin**is** il / elle / on fin**it** nous finiss**ons** vous finiss**ez** ils / elles finiss**ent**	fin**is** finiss**ons** finiss**ez**	je fin**irai** tu fin**iras** il / elle / on fin**ira** nous fin**irons** vous fin**irez** ils / elles fin**iront**	je finiss**ais** tu finiss**ais** il / elle / on finiss**ait** nous finiss**ions** vous finiss**iez** ils / elles finiss**aient**	j'ai fin**i** tu as fin**i** il / elle / on a fin**i** nous avons fin**i** vous avez fin**i** ils / elles ont fin**i**	j'avais fin**i** tu avais fin**i** il / elle / on avait fin**i** nous avions fin**i** vous aviez fin**i** ils / elles avaient fin**i**	je fin**irais** tu fin**irais** il / elle / on fin**irait** nous fin**irions** vous fin**iriez** ils / elles fin**iraient**	(que) je finiss**e** (que) tu finiss**es** (qu') il / elle / on finiss**e** (que) nous finiss**ions** (que) vous finiss**iez** (qu') ils / elles finiss**ent**
	venir + devenir, revenir… + tenir, appartenir, maintenir…	je vien**s** tu vien**s** il / elle / on vien**t** nous ven**ons** vous ven**ez** ils / elles vienn**ent**	vien**s** ven**ons** ven**ez**	je viend**rai** tu viend**ras** il / elle / on viend**ra** nous viend**rons** vous viend**rez** ils / elles viend**ront**	je ven**ais** tu ven**ais** il / elle / on ven**ait** nous ven**ions** vous ven**iez** ils / elles ven**aient**	je suis ven**u(e)** tu es ven**u(e)** il / elle / on est ven**u(e)(s)** nous sommes ven**u(e)s** vous êtes ven**u(e)(s)** ils / elles sont ven**u(e)s**	j'étais ven**u(e)** tu étais ven**u(e)** il / elle / on était ven**u(e)(s)** nous étions ven**u(e)s** vous étiez ven**u(e)(s)** ils / elles étaient ven**u(e)s**	je viend**rais** tu viend**rais** il / elle / on viend**rait** nous viend**rions** vous viend**riez** ils / elles viend**raient**	(que) je vienn**e** (que) tu vienn**es** (qu') il / elle / on vienn**e** (que) nous ven**ions** (que) vous ven**iez** (qu') ils / elles vienn**ent**
	partir + sentir, sortir… + dormir, servir…	je par**s** tu par**s** il / elle / on par**t** nous part**ons** vous part**ez** ils / elles part**ent**	par**s** part**ons** part**ez**	je part**irai** tu part**iras** il / elle / on part**ira** nous part**irons** vous part**irez** ils / elles part**iront**	je part**ais** tu part**ais** il / elle / on part**ait** nous part**ions** vous part**iez** ils / elles part**aient**	je suis part**i(e)** tu es part**i(e)** il / elle / on est part**i(e)(s)** nous sommes part**i(e)s** vous êtes part**i(e)(s)** ils / elles sont part**i(e)s**	j'étais part**i(e)** tu étais part**i(e)** il / elle / on était part**i(e)(s)** nous étions part**i(e)s** vous étiez part**i(e)(s)** ils / elles étaient part**i(e)s**	je part**irais** tu part**irais** il / elle / on part**irait** nous part**irions** vous part**iriez** ils / elles part**iraient**	(que) je part**e** (que) tu part**es** (qu') il / elle / on part**e** (que) nous part**ions** (que) vous part**iez** (qu') ils / elles part**ent**

CONJUGAISONS

	INFINITIF	PRÉSENT	IMPÉRATIF	FUTUR	IMPARFAIT	PASSÉ COMPOSÉ	PLUS-QUE-PARFAIT	CONDITIONNEL	SUBJONCTIF PRÉSENT
VERBES EN -IRE	**dire** + contredire, interdire, prédire…	je di**s** tu di**s** il / elle / on di**t** nous dis**ons** vous dites ils / elles dis**ent**	di**s** dis**ons** dites	je di**rai** tu di**ras** il / elle / on di**ra** nous di**rons** vous di**rez** ils / elles di**ront**	je dis**ais** tu dis**ais** il / elle / on dis**ait** nous dis**ions** vous dis**iez** ils / elles dis**aient**	j'ai di**t** tu as di**t** il / elle / on a di**t** nous avons di**t** vous avez di**t** ils / elles ont di**t**	j'avais di**t** tu avais di**t** il / elle / on avait di**t** nous avions di**t** vous aviez di**t** ils / elles avaient di**t**	je di**rais** tu di**rais** il / elle / on di**rait** nous di**rions** vous di**riez** ils / elles di**raient**	(que) je dis**e** (que) tu dis**es** (qu') il / elle / on dis**e** (que) nous dis**ions** (que) vous dis**iez** (qu') ils / elles dis**ent**
VERBES EN -IRE	**écrire** + décrire, inscrire, récrire, transcrire…	j'écri**s** tu écri**s** il / elle / on écri**t** nous écriv**ons** vous écriv**ez** ils / elles écriv**ent**	écri**s** écriv**ons** écriv**ez**	j'écri**rai** tu écri**ras** il / elle / on écri**ra** nous écri**rons** vous écri**rez** ils / elles écri**ront**	j'écriv**ais** tu écriv**ais** il / elle / on écriv**ait** nous écriv**ions** vous écriv**iez** ils / elles écriv**aient**	j'ai écri**t** tu as écri**t** il / elle / on a écri**t** nous avons écri**t** vous avez écri**t** ils / elles ont écri**t**	j'avais écri**t** tu avais écri**t** il / elle / on avait écri**t** nous avions écri**t** vous aviez écri**t** ils / elles avaient écri**t**	j'écri**rais** tu écri**rais** il / elle / on écri**rait** nous écri**rions** vous écri**riez** ils / elles écri**raient**	(que) j'écriv**e** (que) tu écriv**es** (qu') il / elle / on écriv**e** (que) nous écriv**ions** (que) vous écriv**iez** (qu') ils / elles écriv**ent**
VERBES EN -IRE	**lire** + élire, relire…	je li**s** tu li**s** il / elle / on li**t** nous lis**ons** vous lis**ez** ils / elles lis**ent**	li**s** lis**ons** lis**ez**	je li**rai** tu li**ras** il / elle / on li**ra** nous li**rons** vous li**rez** ils / elles li**ront**	je lis**ais** tu lis**ais** il / elle / on lis**ait** nous lis**ions** vous lis**iez** ils / elles lis**aient**	j'ai lu tu as lu il / elle / on a lu nous avons lu vous avez lu ils / elles ont lu	j'avais lu tu avais lu il / elle / on avait lu nous avions lu vous aviez lu ils / elles avaient lu	je li**rais** tu li**rais** il / elle / on li**rait** nous li**rions** vous li**riez** ils / elles li**raient**	(que) je lis**e** (que) tu lis**es** (qu') il / elle / on lis**e** (que) nous lis**ions** (que) vous lis**iez** (qu') ils / elles lis**ent**
VERBES EN -OIR	**voir** + prévoir, revoir	je vois tu vois il / elle / on voi**t** nous voy**ons** vous voy**ez** ils / elles voi**ent**	vois voy**ons** voy**ez**	je ver**rai** tu ver**ras** il / elle / on ver**ra** nous ver**rons** vous ver**rez** ils / elles ver**ront**	je voy**ais** tu voy**ais** il / elle / on voy**ait** nous voy**ions** vous voy**iez** ils / elles voy**aient**	j'ai vu tu as vu il / elle / on a vu nous avons vu vous avez vu ils / elles ont vu	j'avais vu tu avais vu il / elle / on avait vu nous avions vu vous aviez vu ils / elles avaient vu	je ver**rais** tu ver**rais** il / elle / on ver**rait** nous ver**rions** vous ver**riez** ils / elles ver**raient**	(que) je voi**e** (que) tu voi**es** (qu') il / elle / on voi**e** (que) nous voy**ions** (que) vous voy**iez** (qu') ils / elles voi**ent**
VERBES EN -OIR	**devoir**	je dois tu dois il / elle / on doi**t** nous dev**ons** vous dev**ez** ils / elles doiv**ent**		je dev**rai** tu dev**ras** il / elle / on dev**ra** nous dev**rons** vous dev**rez** ils / elles dev**ront**	je dev**ais** tu dev**ais** il / elle / on dev**ait** nous dev**ions** vous dev**iez** ils / elles dev**aient**	j'ai dû tu as dû il / elle / on a dû nous avons dû vous avez dû ils / elles ont dû	j'avais dû tu avais dû il / elle / on avait dû nous avions dû vous aviez dû ils / elles avaient dû	je dev**rais** tu dev**rais** il / elle / on dev**rait** nous dev**rions** vous dev**riez** ils / elles dev**raient**	(que) je doiv**e** (que) tu doiv**es** (qu') il / elle / on doiv**e** (que) nous dev**ions** (que) vous dev**iez** (qu') ils / elles doiv**ent**
VERBES EN -OIR	**pouvoir**	je peu**x** tu peu**x** il / elle / on peu**t** nous pouv**ons** vous pouv**ez** ils / elles peuv**ent**		je pour**rai** tu pour**ras** il / elle / on pour**ra** nous pour**rons** vous pour**rez** ils / elles pour**ront**	je pouv**ais** tu pouv**ais** il / elle / on pouv**ait** nous pouv**ions** vous pouv**iez** ils / elles pouv**aient**	j'ai pu tu as pu il / elle / on a pu nous avons pu vous avez pu ils / elles ont pu	j'avais pu tu avais pu il / elle / on avait pu nous avions pu vous aviez pu ils / elles avaient pu	je pour**rais** tu pour**rais** il / elle / on pour**rait** nous pour**rions** vous pour**riez** ils / elles pour**raient**	(que) je puiss**e** (que) tu puiss**es** (qu') il / elle / on puiss**e** (que) nous puiss**ions** (que) vous puiss**iez** (qu') ils / elles puiss**ent**

	INFINITIF	PRÉSENT	IMPÉRATIF	FUTUR	IMPARFAIT	PASSÉ COMPOSÉ	PLUS-QUE-PARFAIT	CONDITIONNEL	SUBJONCTIF PRÉSENT
VERBES EN -OIR	**vouloir**	je veu**x** tu veu**x** il / elle / on veu**t** nous voul**ons** vous voul**ez** ils / elles veul**ent**	veuill**ez**	je voud**rai** tu voud**ras** il / elle / on voud**ra** nous voud**rons** vous voud**rez** ils / elles voud**ront**	je voul**ais** tu voul**ais** il / elle / on voul**ait** nous voul**ions** vous voul**iez** ils / elles voul**aient**	j'ai voul**u** tu as voul**u** il / elle / on a voul**u** nous avons voul**u** vous avez voul**u** ils / elles ont voul**u**	j'avais voul**u** tu avais voul**u** il / elle / on avait voul**u** nous avions voul**u** vous aviez voul**u** ils / elles avaient voul**u**	je voud**rais** tu voud**rais** il / elle / on voud**rait** nous voud**rions** vous voud**riez** ils / elles voud**raient**	(que) je veuill**e** (que) tu veuill**es** (qu') il / elle / on veuill**e** (que) nous voul**ions** (que) vous voul**iez** (qu') ils / elles veuill**ent**
	savoir	je sai**s** tu sai**s** il / elle / on sai**t** nous sav**ons** vous sav**ez** ils / elles sav**ent**	sache sachons sachez	je sau**rai** tu sau**ras** il / elle / on sau**ra** nous sau**rons** vous sau**rez** ils / elles sau**ront**	je sav**ais** tu sav**ais** il / elle / on sav**ait** nous sav**ions** vous sav**iez** ils / elles sav**aient**	j'ai su tu as su il / elle / on a su nous avons su vous avez su ils / elles ont su	j'avais su tu avais su il / elle / on avait su nous avions su vous aviez su ils / elles avaient su	je sau**rais** tu sau**rais** il / elle / on sau**rait** nous sau**rions** vous sau**riez** ils / elles sau**raient**	(que) je sach**e** (que) tu sach**es** (qu') il / elle / on sach**e** (que) nous sach**ions** (que) vous sach**iez** (qu') ils / elles sach**ent**
	s'asseoir (1re forme)	je m'assoi**s** tu t'assoi**s** il / elle / on s'assoi**t** nous nous assoy**ons** vous vous assoy**ez** ils / elles s'assoi**ent**	assoi**s**-toi assoy**ons**-nous assoy**ez**-vous	je m'assoi**rai** tu t'assoi**ras** il / elle / on s'assoi**ra** nous nous assoi**rons** vous vous assoi**rez** ils / elles s'assoi**ront**	je m'assoy**ais** tu t'assoy**ais** il / elle / on s'assoy**ait** nous nous assoy**ions** vous vous assoy**iez** ils / elles s'assoy**aient**	je me suis assi**s(e)** tu t'es assi**s(e)** il / elle / on s'est assi**s(e)(s)** nous nous sommes assi**s(e)s** vous vous êtes assi**s(e)(s)** ils / elles se sont assi**s(e)s**	je m'étais assi**s(e)** tu t'étais assi**s(e)** il / elle / on s'était assi**s(e)(s)** nous nous étions assi**s(e)s** vous vous étiez assi**s(e)(s)** ils / elles s'étaient assi**s(e)s**	je m'assoi**rais** tu t'assoi**rais** il / elle / on s'assoi**rait** nous nous assoi**rions** vous vous assoi**riez** ils / elles s'assoi**raient**	(que) je m'assoi**e** (que) tu t'assoi**es** (qu') il / elle / on s'assoi**e** (que) nous nous assoy**ions** (que) vous vous assoy**iez** (qu') ils / elles s'assoi**ent**
	s'asseoir (2e forme)	je m'assied**s** tu t'assied**s** il / elle / on s'assied nous nous assey**ons** vous vous assey**ez** ils / elles s'assey**ent**	assied**s**-toi assey**ons**-nous assey**ez**-vous	je m'assié**rai** tu t'assié**ras** il / elle / on s'assié**ra** nous nous assié**rons** vous vous assié**rez** ils / elles s'assié**ront**	je m'assey**ais** tu t'assey**ais** il / elle / on s'assey**ait** nous nous assey**ions** vous vous assey**iez** ils / elles s'assey**aient**	je me suis assi**s(e)** tu t'es assi**s(e)** il / elle / on s'est assi**s(e)(s)** nous nous sommes assi**s(e)s** vous vous êtes assi**s(e)(s)** ils / elles se sont assi**s(e)s**	je m'étais assi**s(e)s** tu t'étais assi**s(e)s** il / elle / on s'était assi**s(e)(s)** nous nous étions assi**s(e)s** vous vous étiez assi**s(e)(s)** ils / elles s'étaient assi**s(e)s**	je m'assié**rais** tu t'assié**rais** il / elle / on s'assié**rait** nous nous assié**rions** vous vous assié**riez** ils / elles s'assié**raient**	(que) je m'assey**e** (que) tu t'assey**es** (qu') il / elle / on s'assey**e** (que) nous nous assey**ions** (que) vous vous assey**iez** (qu') ils / elles s'assey**ent**
VERBES EN -OIRE	**boire**	je boi**s** tu boi**s** il / elle / on boi**t** nous buv**ons** vous buv**ez** ils / elles boiv**ent**	boi**s** buv**ons** buv**ez**	je boi**rai** tu boi**ras** il / elle / on boi**ra** nous boi**rons** vous boi**rez** ils / elles boi**ront**	je buv**ais** tu buv**ais** il / elle / on buv**ait** nous buv**ions** vous buv**iez** ils / elles buv**aient**	j'ai bu tu as bu il / elle / on a bu nous avons bu vous avez bu ils / elles ont bu	j'avais bu tu avais bu il / elle / on avait bu nous avions bu vous aviez bu ils / elles avaient bu	je boi**rais** tu boi**rais** il / elle / on boi**rait** nous boi**rions** vous boi**riez** ils / elles boi**raient**	(que) je boiv**e** (que) tu boiv**es** (qu') il / elle / on boiv**e** (que) nous buv**ions** (que) vous buv**iez** (qu') ils / elles boiv**ent**
	croire	je croi**s** tu croi**s** il / elle / on croi**t** nous croy**ons** vous croy**ez** ils / elles croi**ent**	croi**s** croy**ons** croy**ez**	je croi**rai** tu croi**ras** il / elle / on croi**ra** nous croi**rons** vous croi**rez** ils / elles croi**ront**	je croy**ais** tu croy**ais** il / elle / on croy**ait** nous croy**ions** vous croy**iez** ils / elles croy**aient**	j'ai cru tu as cru il / elle / on a cru nous avons cru vous avez cru ils / elles ont cru	j'avais cru tu avais cru il / elle / on avait cru nous avions cru vous aviez cru ils / elles avaient cru	je croi**rais** tu croi**rais** il / elle / on croi**rait** nous croi**rions** vous croi**riez** ils / elles croi**raient**	(que) je croi**e** (que) tu croi**es** (qu') il / elle / on croi**e** (que) nous croy**ions** (que) vous croy**iez** (qu') ils / elles croi**ent**

	INFINITIF	PRÉSENT	IMPÉRATIF	FUTUR	IMPARFAIT	PASSÉ COMPOSÉ	PLUS-QUE-PARFAIT	CONDITIONNEL	SUBJONCTIF PRÉSENT
VERBES EN -TRE	**mettre** + permettre, transmettre, promettre…	je met**s** tu met**s** il / elle / on met nous mett**ons** vous mett**ez** ils / elles mett**ent**	met**s** mett**ons** mett**ez**	je mett**rai** tu mett**ras** il / elle / on mett**ra** nous mett**rons** vous mett**rez** ils / elles mett**ront**	je mett**ais** tu mett**ais** il / elle / on mett**ait** nous mett**ions** vous mett**iez** ils / elles mett**aient**	j'ai mis tu as mis il / elle / on a mis nous avons mis vous avez mis ils / elles ont mis	j'avais mis tu avais mis il / elle / on avait mis nous avions mis vous aviez mis ils / elles avaient mis	je mett**rais** tu mett**rais** il / elle / on mett**rait** nous mett**rions** vous mett**riez** ils / elles mett**raient**	(que) je mett**e** (que) tu mett**es** (qu') il / elle / on mett**e** (que) nous mett**ions** (que) vous mett**iez** (qu') ils / elles mett**ent**
	connaître + apparaître, disparaître, paraître…	je connai**s** tu connai**s** il / elle / on connaî**t** nous connaiss**ons** vous connaiss**ez** ils / elles connaiss**ent**	connai**s** connaiss**ons** connaiss**ez**	je connaît**rai** tu connaît**ras** il / elle / on connaît**ra** nous connaît**rons** vous connaît**rez** ils / elles connaît**ront**	je connaiss**ais** tu connaiss**ais** il / elle / on connaiss**ait** nous connaiss**ions** vous connaiss**iez** ils / elles connaiss**aient**	j'ai conn**u** tu as conn**u** il / elle / on a conn**u** nous avons conn**u** vous avez conn**u** ils / elles ont conn**u**	j'avais conn**u** tu avais conn**u** il / elle / on avait conn**u** nous avions conn**u** vous aviez conn**u** ils / elles avaient conn**u**	je connaît**rais** tu connaît**rais** il / elle / on connaît**rait** nous connaît**rions** vous connaît**riez** ils / elles connaît**raient**	(que) je connaiss**e** (que) tu connaiss**es** (qu') il / elle / on connaiss**e** (que) nous connaiss**ions** (que) vous connaiss**iez** (qu') ils / elles connaiss**ent**
VERBES EN -DRE	**prendre** + apprendre, comprendre, surprendre…	je prend**s** tu prend**s** il / elle / on prend nous pren**ons** vous pren**ez** ils / elles prenn**ent**	prend**s** pren**ons** pren**ez**	je prend**rai** tu prend**ras** il / elle / on prend**ra** nous prend**rons** vous prend**rez** ils / elles prend**ront**	je pren**ais** tu pren**ais** il / elle / on pren**ait** nous pren**ions** vous pren**iez** ils / elles pren**aient**	j'ai pris tu as pris il / elle / on a pris nous avons pris vous avez pris ils / elles ont pris	j'avais pris tu avais pris il / elle / on avait pris nous avions pris vous aviez pris ils / elles avaient pris	je prend**rais** tu prend**rais** il / elle / on prend**rait** nous prend**rions** vous prend**riez** ils / elles prend**raient**	(que) je prenn**e** (que) tu prenn**es** (qu') il / elle / on prenn**e** (que) nous pren**ions** (que) vous pren**iez** (qu') ils / elles prenn**ent**
	vendre + attendre, descendre, entendre… + répondre… + perdre…	je vend**s** tu vend**s** il / elle / on vend nous vend**ons** vous vend**ez** ils / elles vend**ent**	vend**s** vend**ons** vend**ez**	je vend**rai** tu vend**ras** il / elle / on vend**ra** nous vend**rons** vous vend**rez** ils / elles vend**ront**	je vend**ais** tu vend**ais** il / elle / on vend**ait** nous vend**ions** vous vend**iez** ils / elles vend**aient**	j'ai vend**u** tu as vend**u** il / elle / on a vend**u** nous avons vend**u** vous avez vend**u** ils / elles ont vend**u**	j'avais vend**u** tu avais vend**u** il / elle / on avait vend**u** nous avions vend**u** vous aviez vend**u** ils / elles avaient vend**u**	je vend**rais** tu vend**rais** il / elle / on vend**rait** nous vend**rions** vous vend**riez** ils / elles vend**raient**	(que) je vend**e** (que) tu vend**es** (qu') il / elle / on vend**e** (que) nous vend**ions** (que) vous vend**iez** (qu') ils / elles vend**ent**
AUTRES	**faire** + défaire, refaire, satisfaire…	je fai**s** tu fai**s** il / elle / on fai**t** nous fais**ons** vous faites ils / elles font	fais fais**ons** faites	je fe**rai** tu fe**ras** il / elle / on fe**ra** nous fe**rons** vous fe**rez** ils / elles fe**ront**	je fais**ais** tu fais**ais** il / elle / on fais**ait** nous fais**ions** vous fais**iez** ils / elles fais**aient**	j'ai fait tu as fait il / elle / on a fait nous avons fait vous avez fait ils / elles ont fait	j'avais fait tu avais fait il / elle / on avait fait nous avions fait vous aviez fait ils / elles avaient fait	je fe**rais** tu fe**rais** il / elle / on fe**rait** nous fe**rions** vous fe**riez** ils / elles fe**raient**	(que) je fasse (que) tu fasses (qu') il / elle / on fasse (que) nous fassions (que) vous fassiez (qu') ils / elles fassent
	falloir	il faut		il faud**ra**	il fall**ait**	il a fall**u**	il avait fall**u**	il faud**rait**	(qu') il faille
	pleuvoir	il pleu**t**		il pleuv**ra**	il pleuv**ait**	il a pl**u**	il avait pl**u**	il pleuv**rait**	(qu') il pleuv**e**

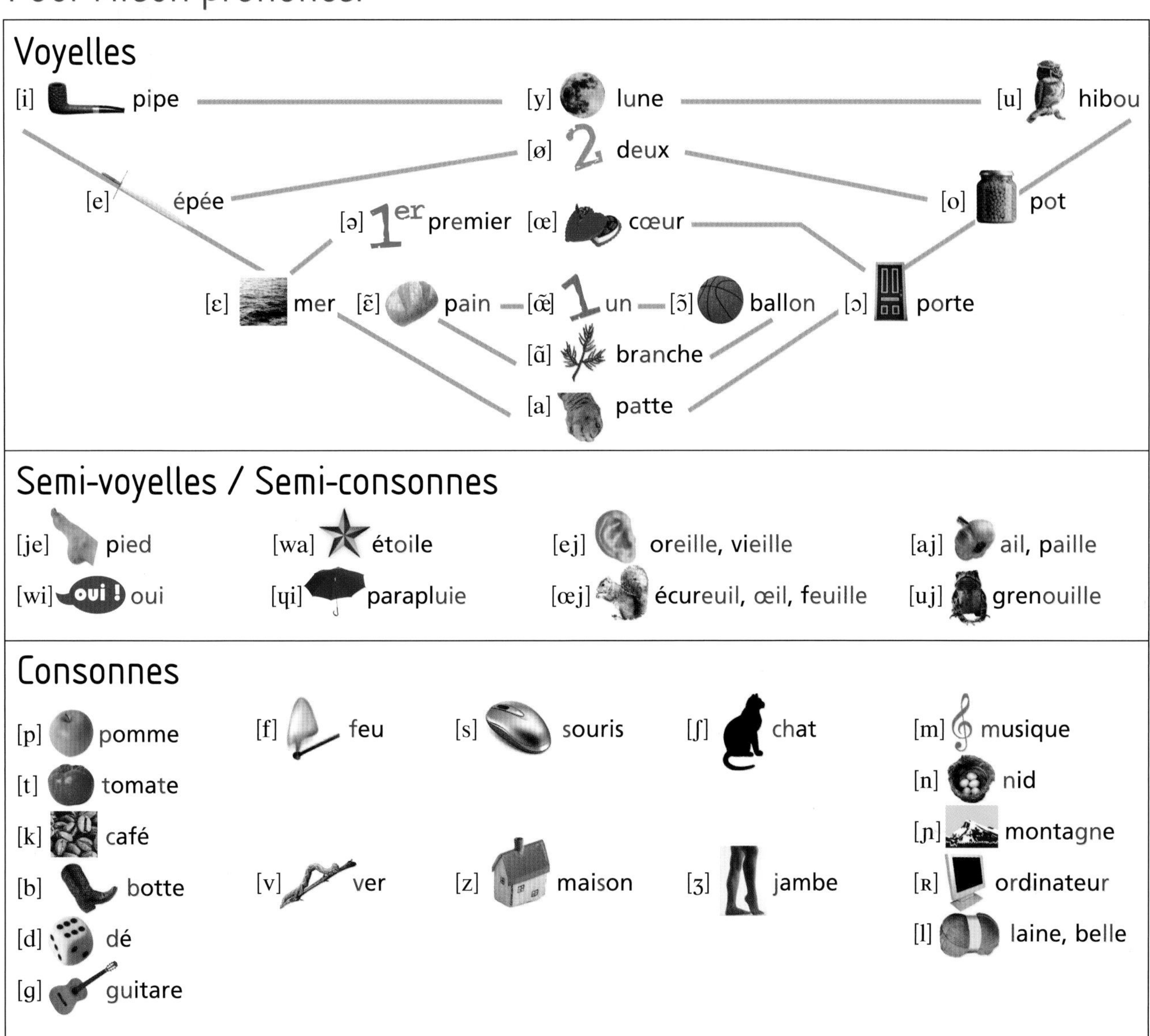

La liaison

Elle se produit quand une consonne finale est suivie d'un son vocalique.

Les_amis de Gertrude ont_un_animal sauvage qui vit chez_eux.
Vous_avez des_oiseaux bleus ?

L'accent tonique

Il se place sur la dernière syllabe sonore d'un groupe de souffle.

Un jour, je partirai sans rien dire à personne.

PHONÉTIQUE

Pour mieux lire à haute voix

Voyelles

Vous lisez...	Vous prononcez...	Vous lisez...	Vous prononcez...
u	[y] tu, lune	on	[ɔ̃] son, accordéon
ai, ei	[ɛ] fait, treize	en, an	[ɑ̃] trente, soixante
oi	[wa] toi, trois	in, ain, ein	[ɛ̃] voisin, main, plein
ou	[u] cou, sourd	un	[œ̃] un, brun
eu	[ø] deux, cheveux	-er, -ez, -et, -es	[e] manger, dormez, et, des
eu(r)	[œ] acteur, inspecteur		
au, eau, o	[o] jaune, beau, pot	é	[e] étoile, bébé
o	[ɔ] porte, bol	è, ê	[ɛ] frère, fenêtre

Consonnes

Vous lisez...	Vous prononcez...
f, ff, ph	[f] fin, effacer, éléphant
c(a, o, u), q(u), k	[k] colle, quoi, kilo
g(e, i), j	[ʒ] mange, gifle, joli
g(a, o, u)	[g] gare, gorille, guêpe
s-, ss, ç	[s] sac, assis, leçon
-s-, z	[z] chaise, douze
gn	[ɲ] cromagnon

Prononciation des voyelles et des consonnes finales

Le « -e » final

Le « -e » final ne se prononce généralement pas, sauf dans les mots d'une syllabe (*je, te, de, le, ce*...).

Écout~~e~~ Mari~~e~~, je te réclam~~e~~ le livr~~e~~ de physiqu~~e~~ pour la dixièm~~e~~ fois !

Les consonnes finales

Habituellement, les consonnes finales ne se prononcent pas.

Ferdinan~~d~~ li~~t~~ un gran~~d~~ livre assi~~s~~ au pie~~d~~ de son li~~t~~.

Par contre, **les « -l » et « -r » en fin de mot,** se prononcent généralement.

Quel est le héro~~s~~ le plu~~s~~ cruel de tou~~s~~ les tem~~ps~~ ?

Il a peur et son cœur bat trè~~s~~ for~~t~~.

Dans le cas de la liaison avec le mot suivant (quand celui-ci commence par une voyelle), on entend la consonne finale.

Cet_artiste est_un bon_interprète des sentiments.

Les marques du pluriel

En règle générale, les marques du pluriel « -s » et « -x » ne se prononcent pas. C'est donc souvent l'article qui est le seul signe sonore du pluriel.

Elle a des cheveu~~x~~ long~~s~~ et frisé~~s~~, rou~~x~~, vraiment très beau~~x~~.

« E » et « o » devant une double consonne

Devant une double consonne, les voyelles « e » et « o » se prononcent respectivement [ɛ] et [ɔ].

Isabe**lle** je**tte** une bo**nne** po**mme** à la poube**lle**.

[ɛ] [ɛ] [ɔ] [ɔ] [ɛ]